O protagonismo da Bíblia

O protagonismo da Bíblia

Reflexões sobre o papel das Escrituras em nossos dias

ESTEVAN F. KIRSCHNER

MUNDO CRISTÃO

Os textos bíblicos foram extraídos da *Nova Versão Transformadora* (NVT), da Tyndale House Foundation, salvo as seguintes indicações: *Almeida Revista e Atualizada*, 2ª ed. (RA), da Sociedade Bíblica do Brasil; e *Nova Versão Internacional* (NVI), da Biblica, Inc.

Imagem de capa: Meriç Dağlı / Unsplash

CIP-Brasil. Catalogação na publicação
Sindicato Nacional dos Editores de Livros, RJ

K65p
Kirschner, Estevan F.
O protagonismo da Bíblia : reflexões sobre o papel das escrituras em nossos dias / Estevan F. Kirschner. - 1. ed. - São Paulo : Mundo Cristão, 2022.
64 p. (Sementes)

ISBN 978-65-5988-095-9

1. Cristianismo. 2. Ensinamentos - Bíblia. 3. Palavra de Deus (Teologia cristã). I. Título.

22-76999 CDD: 220.13
CDU: 27-14

Gabriela Faray Ferreira Lopes - Bibliotecária - CRB-7/6643

Categoria: Teologia
1ª edição: maio de 2022

Edição
Daniel Faria
Revisão
Natália Custódio
Produção
Felipe Marques
Diagramação
Marina Timm
Colaboração
Ana Luiza Ferreira
Capa
Ricardo Shoji

Publicado no Brasil com todos os direitos reservados por:

Editora Mundo Cristão
Rua Antônio Carlos Tacconi, 69
São Paulo, SP, Brasil
CEP 04810-020
Telefone: (11) 2127-4147
www.mundocristao.com.br

Sumário

Introdução

Um dos subprodutos da era digital é o que se convencionou chamar de "pós-verdade". O raciocínio é simples, e estranhamente eficaz: se alguém deseja que alguma coisa seja percebida como "verdadeira", basta sua divulgação intensa nas redes sociais, uma grande quantidade de compartilhamentos, além de um número expressivo de "curtidas" nas páginas de apresentação. Pronto! Como num passe de mágica surge o "fato" ou a "verdade", ainda que não possua nenhuma comprovação.

A expressão "ganhar no grito", uma metáfora da cultura popular brasileira (derivada dos embates estridentes entre felinos domésticos), poderia ser usada como uma descrição apropriada para a assim denominada "pós-verdade".

Num ambiente como esse, como podemos manter nossas convicções, entender a verdade de Deus revelada no texto das Escrituras, que consideramos ser a expressão da Verdade divina, e nos envolver ativamente com ela ao mesmo tempo que somos por ela envolvidos?

Claro, não seria suficiente simplesmente falar a verdade com maior volume do que as outras propostas franqueadas na sociedade. Como cristãos, não podemos capitular aos padrões sempre fluídos e mutantes em torno do conceito da verdade que a mentalidade vigente procura estabelecer em cada época. Não nos compete, portanto, procurar "ganhar no grito", nem que seja pela nobre causa do evangelho.

Em lugar disso, deveríamos ser "ganhos" pela verdade das Escrituras por aquilo que elas mesmas são. Ou seja, dar espaço para sermos conquistados e persuadidos pela própria Palavra de Deus em seu texto, contexto e narrativa. A partir desse pressuposto, estaríamos mais bem equipados para entender a "grande história" (o enredo) na Bíblia, que tem como propósito a redenção humana e de toda a criação. Num terceiro momento, teríamos algo de relevante para dizer à sociedade na qual estamos inseridos, possibilitando que outros também sejam "ganhos" pela Verdade com uma atitude afirmativa, não beligerante.

Este livreto procura estimular quem o lê a

fazer exatamente isso, tendo os três artigos nele contidos como motivação. Esses artigos foram escritos e publicados em momentos diferentes, mas se complementam muito bem como uma tríade que vai da convicção, passando pelo entendimento e culmina no envolvimento a partir do protagonismo dinâmico das Escrituras em seus mais diversos aspectos — sua normatividade, história e a possibilidade de interação resultante.

Nosso desejo é que essa coleção de artigos contribua de algum modo para o desenvolvimento de uma postura afirmativa da Verdade de Deus em Cristo, como ela é testemunhada nas Escrituras. E que o testemunho cristão transcenda o fascínio e a sedução de capitular à mentalidade beligerante hoje vigente na sociedade brasileira, a fim de podermos responder apropriadamente com o evangelho àqueles que perguntam a respeito de nossa esperança em Cristo (1Pe 3.15).

Àquele que é a Verdade seja toda glória, agora e sempre. Amém!

1

Deus, texto e contexto: O papel normativo das Escrituras[I]

> A não ser que seja convencido pelo testemunho da Escritura ou por argumentos evidentes [...] a minha convicção vem das Escrituras a que me reporto, e minha consciência está presa à palavra de Deus — nada consigo nem quero retratar, porque é difícil, maléfico e perigoso agir contra a consciência. Deus me ajude, Amém.[2]

As palavras de Martinho Lutero ecoam pelos séculos como um testemunho, dos mais eloquentes, da atitude de submissão e obediência incondicionais à Palavra de Deus escrita. De fato, os cristãos evangélicos têm uma herança muito preciosa de respeito e consideração à Bíblia e ao seu ensino. Homens como Lutero, Melanchton, Zwinglio, Calvino, Knox e outros reformadores basearam todo o seu esforço e obra num fundamento comum: *Sola Scriptura*, isto é, "só a Escritura", somente ela tem a autoridade e o direito de ser obedecida — não o papa, bispos, concílios ou tradições.

Existe hoje, nas igrejas, uma forte tentação no sentido de negligenciar a herança histórica, exatamente na área fundamental da bibliologia, quer pela falta de preparo bíblico-teológico de grande parte da liderança, quer pelo favorecimento generalizado do valor e autoridade relativos da experiência sobre a Bíblia. Em anos recentes temos observado uma sutil, mas inquietante, transferência da submissão à autoridade da Palavra de Deus escrita para a "palavra" oral de pastores e líderes evangélicos populares. Alguns desses procuram remeter o povo evangélico de volta à Bíblia. Muitas vezes, no entanto, verificamos que o povo evangélico, consciente ou inconscientemente, favorece o ambiente em que alguém é capaz de pautar suas próprias interpretações e/ou opiniões com um "assim diz o SENHOR", que isenta a maioria menos avisada da tarefa, sempre salutar, de examinar as Escrituras "para ver se as coisas eram, de fato, assim" (At 17.11, ARA).

Ataques frontais, ou camuflados, à veracidade e integridade das Escrituras têm sido frequentes ao longo da história, bem como as releituras ideológicas que rejeitam a compreensão histórico-gramatical normal (literal) do texto bíblico. Nosso intuito neste artigo é traçar algumas considerações sobre a questão atual da qualidade normativa da Bíblia e suas implicações para a realidade evangélica brasileira.

A crise atual

A difícil fase que a sociedade brasileira (e latino-americana) tem vivenciado também afeta as igrejas. Em primeiro lugar, é claro, pelo simples fato de passar a igreja pelos mesmos problemas práticos que todo e qualquer segmento da sociedade enfrenta, principalmente na área econômico-social. Em segundo lugar, porque a igreja tem sido constantemente influenciada em sua identidade, organização e missão por certas premissas filosóficas inerentes à mentalidade que caracteriza os tempos atuais. Um exame, por superficial que seja, dos conceitos mais populares de autoridade bíblica encontrados nas igrejas revela tendências perigosas do rumo ortodoxo (grego: "opinião reta") que deveria orientar a igreja em sua compreensão do papel normativo das Escrituras.

1. A percepção restritiva da autoridade bíblica

A autoridade bíblica limita-se a assuntos de natureza espiritual (ou religiosa), tais como o culto, a escola dominical, a evangelização e programas da igreja. Quanto à área moral, ética ou financeira, o que decide é a experiência comum da comunidade cristã, modelos ou padrões pragmáticos (do tipo "o que funciona é o que é certo"), o conselho de "autoridades" na área ou simplesmente as tendências do momento. Naturalmente, a pressuposição subjacente deste conceito de papel normativo da Bíblia é a de que existe uma dicotomia entre aquilo que se toma como "espiritual" e o que é tido como "profano". Tal dualismo, porém, tem mais afinidade com o neoplatonismo dos primeiros séculos da igreja cristã (distinção absoluta entre "espírito" e "matéria") do que com o ensino do Novo Testamento (cf. Mc 7.1-23; 1Co 10.31; Cl 3.17).

2. A visão impressionista da autoridade bíblica

Só é determinativo ou autorizado no texto bíblico aquilo que provoca no leitor alguma "impressão" ou reação forte. O leitor tende a igualar a mensagem de uma passagem bíblica com os pensamentos que ocupam sua mente enquanto ele a lê. Esta perspectiva parece ser das mais populares, pois encontra respaldo na cosmovisão subjetivista e individualista que é dominante hoje. Além disso, também corresponde, de certa forma, à noção neo-ortodoxa de um encontro existencial com Deus mediado por um texto bíblico qualquer que "se torna a palavra de Deus" para o leitor.

3. A concepção dogmática da autoridade bíblica

A Bíblia é considerada detentora de autoridade, mas somente nos aspectos que favoreçam ou sejam convenientes a uma posição doutrinária que este ou aquele grupo ou movimento promove. Listas de versículos como texto-prova desta ou daquela doutrina são apresentadas sem maiores cuidados quanto ao contexto de cada passagem, seu propósito original e sua compreensão dentro do livro ou autor bíblico onde se encontra. O conteúdo do famoso dito, "texto fora de contexto é pretexto", ainda que teoricamente repudiado pela maioria de nós, acaba, muitas vezes, sendo a descrição mais apurada da prática hermenêutica de muitos de nós. O grande problema aqui é saber o que fazer com todo o resto das Escrituras que continua detendo autoridade, mas que, aparentemente, não se encaixa com o sistema doutrinário defendido. O "reducionismo", como método hermenêutico, tem caracterizado a exegese histórico-crítica (liberal), mas também muito daquilo que se denomina interpretação ortodoxa da Bíblia. Basta olhar à nossa volta e verificar o que, por exemplo, têm feito os proponentes do chamado "evangelho da prosperidade". As passagens que falam de sucesso material e bem-estar físico são convenientemente requisitadas como alicerces do ensino proposto; contudo, as que falam de sofrimento físico, perseguição e estilo de vida simples do crente são, quando muito, "demitologizadas" ou relegadas a segundo plano, se não totalmente negligenciadas.

Por trás destas perspectivas deficientes e suas implicações está, é claro, uma visão *fragmentada* da Bíblia: não se entende as partes pelo todo nem vice-versa. Mas, acima de tudo, este é um problema de atitude em relação à Palavra de Deus, principalmente no que concerne ao propósito para o qual ela nos foi dada "por escrito" e nas formas nas quais ficou registrada. Analisaremos, a seguir, quais os componentes necessários e apropriados para uma visão equilibrada, mas sobretudo fidedigna, da autoridade e do consequente papel normativo das Escrituras.

O resgate do conceito de autoridade e papel normativo das Escrituras

Há hoje um forte preconceito quanto à ideia de "autoridade". Vivemos num mundo pós-iluminista (do movimento europeu dos séculos 17 e 18 que deu origem à ciência moderna) e, como tal, "autonomia" é a palavra de ordem, não autoridade. O homem, colocado no centro do universo, e a razão humana, elevada à medida de todas as coisas, tornam extremamente difícil a ideia de autoridade extrínseca (imposta de fora do indivíduo).

A história recente do Brasil também contribui para esse preconceito. A mudança do regime militar "autoritário" para a democracia de "liberdade" tem trazido consigo uma infeliz confusão de "autoridade" com "autoritarismo". O "autoritarismo" é o abuso de poder, a exigência de submissão sem, necessariamente, respaldo na verdade ou na moral, sem critério objetivo, a não ser a manutenção do *status* de poder absoluto. Mas isso não é "autoridade" nem o exercício dela. Entretanto, quando se fala de autoridade bíblica, parece que algo dessa natureza vem à mente de muitas pessoas; afinal, pensam elas, "autoridade" deve ser o antônimo de liberdade e democracia. Autoridade, ao contrário, deriva seu *status* com base em algum critério objetivo. Segundo o dicionário, autoridade é "o direito ou poder de fazer-se obedecer, dar ordens, tomar decisões, agir".[3] No que se refere à autoridade bíblica, este "direito" ou "poder" de fazer-se obedecer decorre fundamentalmente de três premissas históricas: 1) a natureza da revelação bíblica em contraste com a literatura de origem meramente humana; 2) o autotestemunho da Bíblia quanto à sua veracidade e fidedignidade como revelação de Deus; e 3) os efeitos historicamente verificáveis da aplicação do ensino peculiar das Escrituras à vida e às estruturas humanas.

1. A natureza da revelação bíblica

Muito mais que o conceito de inspiração plenário-verbal, o que desejamos destacar aqui é, mais particularmente, o fenômeno das Escrituras, isto é, de sua qualidade intrínseca de ser a Palavra de Deus escrita. O que, afinal, diferencia a Bíblia de outros livros? Como pode um livro, cuja característica básica é ser uma narrativa de "história antiga", ser ao mesmo tempo a revelação de Deus?

Toda autoridade pertence a Deus. A própria Bíblia vê a autoridade como totalmente concentrada em Deus (p. ex., Is 40; Mt 28.18). E é somente a partir dessa constatação que podemos afirmar que as Escrituras têm autoridade; isto é, desde que toda autoridade pertence exclusivamente a Deus, então Deus mesmo de alguma maneira conferiu sua autoridade à Bíblia. Essa delegação de autoridade pode ser ilustrada logo no primeiro capítulo de Gênesis, quando Deus, proferindo a sua Palavra, diz isto ou diz aquilo, e as coisas acontecem (Gn 1.3,6,9,11,14,20,24,26). Da mesma forma, os profetas, seus agentes humanos, são equipados pelo Espírito Santo e enviados ao povo. Sua autoridade é delegada por Deus. Por isso eles dizem "assim diz o SENHOR", ao anunciar suas mensagens de julgamento e salvação da parte de Deus. Da mesma forma, aqueles que testemunharam a vida e a obra do Messias depois escreveram o que escreveram para que fosse documentação que servisse de alicerce para a igreja (At 2.42; Ef 2.20). Portanto, a autoridade dos apóstolos, tanto na palavra falada quanto na escrita (p. ex., 2Pe 3.15s.), também é *autoridade divina*.

A autoridade delegada, porém, reside especificamente na Palavra, pois é a Palavra de Deus. Neste sentido, também há uma certa confusão quanto ao conceito de inspiração. Na realidade, o que é inspirado não é o escritor humano, mas sim o texto bíblico: "Toda a Escritura é inspirada". O termo "inspirada" (*theopneustos*), de 2Timóteo 3.16, expressa, mais do que qualquer outra coisa, que o "produto final" de todo o processo, a Escritura, é o que possui a qualidade de ser Palavra de Deus e, portanto, autoridade divina. Os escritores humanos foram "conduzidos" (*pheromenoi*) pelo Espírito Santo para que registrassem o texto "soprado por Deus", o qual possui a autoridade de Palavra de Deus e cuja prerrogativa é ser obedecido (2Pe 1.21; cf. 1.19).[4]

2. *O autotestemunho da Bíblia*

Há uma impressionante coerência entre os diversos livros bíblicos. (Às vezes nos esquecemos de que a Bíblia é, na verdade, uma pequena biblioteca composta de vários livros.) Aproximadamente quarenta escritores de culturas, línguas e contextos vivenciais diferentes escreveram seus livros, cobrindo um período de mil e quinhentos anos. Por mais intrigantes que sejam as poucas e aparentes discrepâncias entre eles, não é possível evitar uma reação de pasmo diante do "fenômeno" das Escrituras. Mas o método de revelação de Deus para os escritores humanos não é muito discutido na Bíblia. Há, por exemplo, pesquisa histórica (Lc 1.1-4), lembrança (Jo 14.26), ditado (Ap 1.11-3.22), visões (2Co 12.1-4) e o uso de bom julgamento (1Co 7.12).

Uma vez tendo reivindicado ser o produto da ação soberana de Deus, as Escrituras são coerentemente precisas em afirmar que tudo o que dizem é verdadeiro, pois possuem autoridade divina. Seria muito fácil multiplicar as passagens do AT e do NT que presumem direta ou indiretamente tal convicção. Para o nosso propósito basta mencionar apenas alguns aspectos relativos ao NT, a título de ilustração:

a) Jesus reconheceu o AT como Escritura:

- Inspiração – Marcos 12.36 (cf. Sl 110.1)
- Historicidade – Adão e Eva (Mt 19.4s.), dilúvio (Mt 24.37), Jonas (Lc 11.32), sarça ardente (Lc 20.37)
- Cumprimento – Mateus 5.18
- Infalibilidade – João 10.35

b) Jesus reivindicou autoridade para as suas próprias palavras:

- Importância – Marcos 8.38; Mateus 7.24-27
- Eternidade – Mateus 24.35
- Papel normativo – Mateus 5.22,28,32,34,39,44; 28.18-20

c) Paulo reconheceu o AT como Escritura:

- Inspiração – 2Timóteo 3.16
- Personificação da Escritura – Romanos 9.17

d) Paulo reivindicou autoridade divina para as suas palavras:

- Reveladas pelo Espírito – 1Coríntios 2.13
- Normativas – 1Coríntios 14.37
- Mensagem evangélica – 1Tessalonicenses 2.13; Gálatas 1.6-9

e) Pedro reconheceu o AT como Escritura:

- O registro da revelação divina - 2Pedro 1.19-21

f) Pedro reconheceu as cartas de Paulo como Escritura:

- Mesmo caráter do AT - 2Pedro 3.15s.

Ainda de muitas outras formas, a Bíblia reivindica e atesta sua veracidade e fidedignidade.[5] A discussão moderna sobre o texto bíblico tem levado muitos evangélicos, em suas tentativas de defesa da integridade da revelação bíblica, a se refugiarem numa conceituação que destaca de forma "negativa" o que as Escrituras enfatizam de forma "positiva". Os adjetivos "infalível" e "inerrante" têm sido empregados com tanta intensidade e veemência que, às vezes, parece que falta espaço apropriado para se dizer "verdadeira", "fidedigna", "confiável".

Pode parecer, à primeira vista, uma mera questão de semântica. Mas vai muito além disso. É também uma questão de atitude. Não precisamos, nem devemos ficar numa "retranca" apologética. Se crermos que, de fato, Deus é verdadeiro, e é mentiroso todo homem

(Rm 3.4), então é imperativo que apresentemos sua mensagem ao homem moderno com a convicção de que é derivada da única fonte verdadeira, autorizada e normativa.

3. Aplicação e efeitos do ensino bíblico

A compreensão de que as Escrituras são a revelação de Deus e de sua vontade à humanidade e a verificação de sua autorreivindicação de ser verdadeira e fidedigna, ao apresentar tal revelação, trazem uma implicação inescapável. *As Escrituras são normativas* para a análise da realidade. Sua aplicação, seja qual for o contexto, tem sido historicamente determinada a partir do texto bíblico como o primeiro passo do processo, não o contrário. É claro que o contexto é importante, à medida que orienta o tipo de abordagem, os aspectos prementes e relevantes que devem ser examinados e interpretados. A mensagem, porém, já está de antemão estabelecida e determinada no *contexto bíblico*.

As tentativas de inverter esse processo também podem ser historicamente constatadas, bem como seus resultados. Nos últimos dois séculos, foi a teologia do liberalismo "clássico" que mais explicitamente direcionou seus esforços no sentido de interpretar o texto bíblico e sua mensagem da perspectiva situacionista. Foi, e tem sido em suas formas mais modernas, nitidamente guiada por premissas filosóficas e antropológicas. Sua metodologia é caracterizada por um nítido antissobrenaturalismo e reducionismo histórico-crítico, resultado do Iluminismo. Um comentário elucidativo foi feito por G. Tyrrell, teólogo católico do início do século 20, a respeito da cristologia, com evidentes contornos "humanistas" de um dos últimos grandes expoentes do liberalismo, Adolf von Harnack. Ele disse: "O Cristo que Harnack vê, olhando para trás pelos dezenove séculos de trevas católicas, é apenas um reflexo da face protestante liberal, vista no fundo de um poço".[6]

Mais recentemente, foi a Teologia da Libertação que preconizou, mais do que qualquer outro movimento, o contexto sociorreligioso como o ponto de partida para a reflexão teológica. O texto bíblico é sempre um segundo passo no processo hermenêutico.[7] Nas palavras de Gutiérrez, um dos pais do movimento, a Teologia da Libertação vê "teologia" como "reflexão crítica sobre a práxis". A "ortopraxia", em lugar da "ortodoxia", tem sido seu "grito de guerra". De fato, não há como negar o valor de certos questionamentos levantados pela Teologia da Libertação, quando esta diz, por exemplo, que a teologia "ocidental" tradicional tende a preocupar-se mais com abstrações e "teologizações" do que com a prática cristã, a resolução cristã dos problemas do homem.[8] Mas, ainda que a entrada no *círculo hermenêutico* (nome dado ao processo de interpretação, no qual se verifica uma constante checagem de conclusões em relação ao texto bíblico) possa dar-se a qualquer altura do processo, seja no lado do texto seja no lado do contexto, a Escritura ainda deverá manter seu lugar normativo e reformular, sempre que necessário, a nossa pré-compreensão do texto bíblico e sua relevância para a realidade.

Quando olhamos para o NT, por exemplo, e perguntamos sobre a ocasião (o *Sitz im Leben*) que motivou a produção de seus diversos escritos, somos obrigados a concluir que a teologia do NT nos é mediada por situações vivenciais concretas — tanto nos Evangelhos, nas cartas e em Atos quanto no Apocalipse. A teologia que encontramos no NT é, portanto, dinâmica (ativa), não estática ou abstrata, divorciada de seu contexto existencial. Nossa responsabilidade, como intérpretes e exegetas, por conseguinte, é de articular essa teologia que foi dada numa situação concreta, não no abstrato, para outra situação concreta, aquela que o cristão brasileiro vive hoje. Tal tarefa hermenêutico-teológica não é fácil. Ela exige, prioritariamente, uma grande compreensão do texto bíblico no seu contexto original, a fim de que sua aplicação à realidade atual seja coerente com seu propósito. É essa fusão de "horizontes", da perspectiva do escritor bíblico e do intérprete moderno, que orientará a missão e o papel da igreja numa determinada situação.

Acima, porém, de uma mera questão de conhecimento acadêmico vem a necessidade de compromisso sério do intérprete bíblico com a Palavra de Deus escrita.

Como evangélicos, temos condições de responder relevantemente às questões que a Teologia da Libertação tem tentado responder partindo de premissas equivocadas. Mas não serão ideologias ou quaisquer outras premissas filosóficas, políticas ou sociológicas que nos direcionarão na tarefa proposta. Concordo com Robinson Cavalcanti quando este afirma que "devemos ser realistas e dizer que a confiança na relevância dos ensinos bíblicos não resolve automaticamente certas situações agudas".[9] Entretanto, o reconhecimento de tal fato, em vez de tirar nossa atenção da Palavra e transferi-la para as ciências sociais, políticas ou filosóficas, deveria levar-nos a uma imersão ainda maior no texto bíblico, a fim de descobrirmos quais são os parâmetros básicos que nos nortearão diante de uma dada situação ou problema que a Bíblia não aborda explicitamente. Qualquer proposta de "trabalho interdisciplinar"[10] que objetive resultados sérios e fiéis à mensagem do evangelho, além de resultados pragmáticos (ou utilitários), deve percorrer constantemente o caminho de volta à Palavra para checar e reformular seus pressupostos e conclusões.

As implicações práticas do conceito bíblico de autoridade e papel normativo das Escrituras

O conceito de autoridade, analisado acima, traz consigo dois conceitos práticos associados: submissão e normatividade.

A ideia de submissão, subordinação ou sujeição não é das mais populares na atualidade — certamente pelas mesmas razões vistas acima quanto à questão da autoridade. Mas, uma atitude de submissão deve ser uma consequência natural do reconhecimento e da aceitação da autoridade de alguém ou de alguma coisa (a Constituição, p. ex.). Submissão à autoridade bíblica implicará duas atitudes essenciais ao intérprete bíblico:

1) *Respeito à voz do escritor bíblico*, sem lhe impor pressuposições ou preconceitos que lhe sejam estranhos. Na prática, isto significa que devemos ler o texto levando em conta a personalidade, cultura, língua, propósito, temas e ênfases específicos do autor humano da passagem que estamos estudando. Por exemplo, enquanto é verdade que Mateus pode nos ajudar a entender muito do que Marcos escreveu, ou vice-versa, o evangelista Marcos deve ser ouvido na forma em que escreveu seu livro, atentando-se para os seus propósitos e ênfases no evangelho. O mesmo se aplica a Mateus. É neste campo, o da exegese, que a teologia bíblica opera.

2) *Respeito à revelação bíblica como um todo.* Isto pode parecer contrário ao parágrafo acima, mas não é. Uma teologia bíblica não exclui a possibilidade, nem a necessidade, de uma teologia

sistemática. Ela simplesmente estabelece certas diretrizes e limites à última. Nenhum esquema teológico deve ser imposto ao texto, de modo artificial, de forma a encaixar no sistema aquilo que não lhe seja conveniente ou mesmo que lhe seja contrário (como um quebra-cabeças, cujas peças são forçadas a se encaixar pelo competidor impaciente). Entretanto, o princípio da harmonia das partes em função do todo deve levar o intérprete a testar suas conclusões em relação a qualquer texto das Escrituras com o todo de seu ensino. Isto ele fará reconhecendo a unidade da revelação bíblica em seus aspectos primordiais: Deus e seus atributos, pecados e suas consequências, graça, encarnação, vida, morte e ressurreição do Filho de Deus, salvação e santidade etc.

São exatamente essas duas atitudes ligadas ao conceito de submissão que, na prática, apontam para a função normativa da Bíblia. Norma é "aquilo que se adota como base ou medida para a realização ou avaliação de algo".[11] É somente com base nisso que a Bíblia pode ser a única regra de fé e prática. Só a partir daí, também, que se pode desejar ver os sinais positivos de uma doutrina bíblica, histórica e sadia da autoridade das Escrituras sendo crida e vivida no meio do povo de Deus no Brasil:

- apreço e apego à Palavra escrita como critério exclusivo para reger a vida dos crentes;
- exposição do texto das Escrituras como resultado do reconhecimento da autoridade e do papel normativo da Bíblia por parte dos pastores e líderes. Se a liderança evangélica levasse tão a sério a inspiração e autoridade da Bíblia, como comumente se apregoa, estaria mais disposta a ouvir o texto e a pregar o que ele diz, em vez de usá-lo como "trampolim" para ideias e opiniões próprias. Isto se aplica a áreas tais como o sermão, o aconselhamento, a política, o trabalho social etc.;
- mais importante ainda, uma mentalidade cristã haveria de surgir não somente para contrapor a mentalidade secular que permeia a igreja, mas como estímulo e equipamento essencial à santidade cristã (Cl 3.1,2,16,17).

2

Da Babilônia à Nova Jerusalém: O ensino da Bíblia sobre a cidade[I]

Quem lê o início e o fim da Bíblia nota que o drama humano começa num jardim e termina numa praça no centro de uma cidade.

O jardim do Éden, em Gênesis 2, representa o mundo perfeito, cuja administração e proteção cabem ao ser humano (Gn 2.15), que foi constituído com as potencialidades necessárias para essa tarefa, pois foi criado à imagem e semelhança de Deus (Gn 1.26-27) para o propósito de, entre outras coisas, "governar" a terra (Gn 1.28).

Já a Nova Jerusalém, em Apocalipse 22, representa a restauração dos propósitos de Deus para a humanidade que falhou (pecou) ao procurar extrapolar sua condição de criatura e assumir o papel que somente o Criador possui. Ao ceder à tentação de ser "como Deus" (Gn 3.5), o ser humano (do hebraico *'adam*, comumente traduzido por "Adão") disparou o processo que culminou em sua total alienação e morte. Em primeiro lugar, alienação de si mesmo e de seu semelhante, mas principalmente de Deus e dos bons propósitos divinos para a criação (Gn 3.7-10). Depois, alienação de sua condição de administrador de um mundo perfeito, com a maldição que Deus pronuncia sobre a terra e sobre as nobres funções previstas para os seres humanos em seu relacionamento uns com os outros, bem como em relação à vida na terra (Gn 3.16-19). A humanidade, criada do "pó da terra", voltará ao "pó", pois a morte agora figura inescapavelmente como seu destino certo.

O "paraíso" foi perdido, e ocorre então o primeiro "exílio" da narrativa bíblica. Todavia, embora represente uma punição severa da parte de Deus, tal exílio ainda assim constitui um sinal claro de sua graça (Gn 3.22-24). Sim, o ser humano foi "expulso" do jardim perfeito que lhe caberia administrar se houvesse seguido a instrução e a orientação divinas, um jardim do qual receberia os benefícios de uma vida sem a exaustação e a dor inerentes à condição humana atual. No entanto, Deus assim fez com a intenção de preservar a humanidade de permanecer numa condição irremediavelmente perdida — daí a afirmação: "Se eles [os seres humanos] tomarem do fruto da árvore da vida e dele comerem, viverão para sempre" (Gn 3.22). Assim, o "caminho" (o GPS) para a árvore da vida (a possibilidade de uma vida sem fim/eterna) foi totalmente bloqueado (Gn 3.24).

É com base nessa realidade que o drama final da Bíblia (Ap 22) descortina a restauração ao propósito inicial de Deus. A Nova Jerusalém — definida em Apocalipse 21.9-10 como a própria Igreja, "a noiva, a esposa do Cordeiro" — aparece em cena como uma cidade que representa a restauração dos planos de Deus para a criação da humanidade. Agora, retorna ao cenário a "árvore da vida", não mais num jardim de "prazeres" (significado do termo hebraico traduzido por "Éden"), mas numa "praça" no meio da cidade de Deus (Ap 22.2). O resultado é a cura das nações, o que nenhuma organização humana supranacional é capaz de fazer. É a quebra definitiva de toda e qualquer maldição, inclusive as de Gênesis 3. É a adoração plena na presença de Deus e de seu Cristo, o "Cordeiro" (Ap 22.1-4).

Os seres humanos "reinarão para todo o sempre" (Ap 22.5), cumprindo dessa forma a função proposta por Deus na própria criação (Gn 1.26-28).

Agora, a humanidade resgatada por Cristo não será mais impedida de "comer do fruto da árvore da vida" e de viver para sempre cumprindo os propósitos de Deus e usufruindo os benefícios eternos dessa condição restaurada em Cristo (Ap 22.14).

De todo esse drama, aqui resumidamente retratado, surge a pergunta: Por que um projeto humano como a cidade, sob a marca do pecado e da oposição a Deus, é resgatado e se torna a síntese principal da harmonia perfeita entre Deus e os seres humanos na restauração de toda a criação?

O primeiro exílio: do Éden até Babel

A primeira cidade mencionada pela Bíblia foi fundada por Caim, que deu a ela o nome de seu primeiro filho, "Enoque" (Gn 4.17). Esse registro em Gênesis segue de perto todo o drama envolvendo o assassinato de Abel cometido por seu irmão Caim e a subsequente maldição e punição de Deus: "O solo não lhe dará boas colheitas, por mais que você se esforce! E, de agora em diante, você não terá um lar e andará sem rumo pela terra" (Gn 4.12). Em seguida, o texto bíblico nos diz que Caim "saiu da presença do SENHOR e se estabeleceu na terra de Node" (Gn 4.16).

A história, que começa com Caim e Abel tentando se aproximar de Deus por meio de ofertas e sacrifícios, termina tragicamente com a morte de Abel e com Caim saindo da presença de Deus, exilado ainda mais distante do Éden, de onde seus pais haviam sido expulsos. Agora Caim se vê condenado a viver vagando pela terra de Node (nome cujo significado é "andança sem rumo").

Esse é o preâmbulo da fundação da primeira cidade da Bíblia. Como bem observou Carlos Osvaldo Pinto, "Caim introduz a cidade como entidade social em desafio à punição de Deus".[2] Ou seja, a cidade nasce não apenas como projeto humano, mas como provocação à sentença de Deus que havia destinado Caim a perambular sem rumo num mundo inóspito e hostil. Nada além disso nos é dito a respeito da primeira cidade.

Em Gênesis 11, contudo, desenvolve-se o perfil sugerido pela breve descrição da fundação da primeira cidade. O projeto "Babel" representa uma atitude de contínuo desafio da humanidade, que procura na independência de Deus sua verdadeira identidade, num nítido paralelo com a tentação do Éden (Gn 3.5). A construção de "uma torre que chegue até o céu", junto à cidade (Gn 11.4), representa a edificação de um "portal" para a divindade descer e acessar um templo construído para ela. Era isso que os zigurates da antiga Babilônia simbolizavam: portais para os deuses. No relato da torre de Babel, portanto, a intenção era a de agradar a divindade de tal maneira que ela trouxesse prosperidade para a cidade.[3] "Assim", dizem os seres humanos uns aos outros, "ficaremos famosos e não seremos espalhados" (Gn 11.4). Cabe observar que o projeto agora é coletivo, e não apenas de um indivíduo que se opõe a Deus.

O resultado é que Deus resolve "descer", não para atender às aspirações daqueles que pretendem usar a divindade para seus próprios fins egoístas, mas sim para trazer juízo. O projeto não só foi abortado como também representa o aprofundamento do conceito de "exílio", com o juízo de Deus resultando na dispersão da humanidade pelo mundo afora mediante a confusão ("Babel" em hebraico) das línguas (Gn 11.9).

A conclusão teológica a partir dos primeiros esboços narrativos da cidade na Bíblia é clara: a cidade, por si só, representa um projeto humano de autonomia de Deus que, com o passar do tempo, se modifica para incluir a divindade a serviço dos ideais humanos de grandeza e prosperidade civilizatória. O ser humano, criado para ser representante (sacerdote) de Deus na criação, não somente se rebela contra os projetos divinos, mas também passa a usar a divindade com vistas a seus próprios interesses.

O segundo exílio: Babilônia e Jerusalém

O restante da narrativa do Antigo Testamento basicamente avança a perspectiva do protótipo de Babel para compor o enredo da sociedade humana organizada com base em valores que se opõem ao programa de Deus. Não é sem motivo que "Babilônia" ("Babel" e "Babilônia" são a mesma palavra em hebraico) se torna uma espécie de código que evoca de imediato a arrogância humana e a oposição a Deus. Há, sobretudo nos livros proféticos, outras cidades destacadas no Antigo Testamento — Nínive, Tiro, Sidom, entre outras — que recebem a sentença do julgamento de Deus por causa de sua arrogância, maldade e violência (ver, p. ex., Jn 1.2; Ez 28.1-24).

A Babilônia, porém, recebe atenção especial, pois também cumpre um papel específico no drama da redenção no Antigo Testamento. É na Babilônia que o povo de Judá é exilado por quebrar a aliança de Deus. O império neobabilônico, tendo Nabucodonosor como líder, é o instrumento de punição que Deus emprega para disciplinar seu povo pela desobediência à Lei (Jr 28.14; Hc 1.6,12).

Convém lembrar que Abraão, o pai da nação judaica, fora chamado por Deus para representar o distanciamento desse esquema natural humano, servindo de instrumento no projeto de resgate da humanidade pecadora. Deus lhe disse que deixasse justamente a região da Babilônia, então chamada "Ur dos caldeus" (Gn 11.27—12.9). Assim, o exílio babilônico traz uma estranha sensação de reversão de expectativas, pois não é apenas a punição de um povo rebelde, mas também uma espécie de retorno às origens pagãs desse povo. É a sensação de cancelamento — ainda que temporário — dos bons propósitos de Deus para seu povo escolhido, inclusive o de abençoar todas as famílias (nações) da terra por meio da descendência de Abraão (Gn 12.3). Voltar à Babilônia é o mesmo que ser levado para "terra estrangeira" (Sl 137.4), embora fosse a terra original dos patriarcas de Israel.

Por essa razão, tanto o julgamento da Babilônia

(Jr 50—51) quanto o retorno de Judá do exílio na Babilônia (Is 47—48) são efusivamente celebrados nos textos do período final do Antigo Testamento.

Também existe nas Escrituras hebraicas certa ambiguidade em relação a Jerusalém, a cidade que é considerada favorecida por Deus. Até ser finalmente conquistada por Davi — ainda na fase inicial de seu reinado —, Jerusalém fazia parte do esquema humano contrário a Deus e Israel. Era a cidade dos jebuseus, o reduto de um grupo de cananeus que zombava de Davi e de sua intenção de tomar a cidade (2Sm 5.6-7). Uma vez conquistada, ela passa a ser chamada "Cidade de Davi", sendo por ele ampliada e se tornando sua moradia oficial, a cidade real. Daí em diante, Jerusalém figura como a principal cidade de todo o Israel. É para lá que a arca da aliança é levada, e é nela que Salomão constrói o templo (2Rs 8). Mais adiante, quando Jerusalém é arrasada por exércitos invasores e seu templo é destruído, a cidade se torna objeto de saudosismo e lamentação no exílio da Babilônia (Sl 137.5-7).

No entanto, existe também uma expectativa escatológica em relação a Jerusalém, expectativa essa que transcende os aspectos conhecidos na história da cidade ao longo dos séculos. Jeremias, por exemplo, fala da reconstrução de Jerusalém, que resultaria numa situação de estabilidade permanente: "'Está chegando o dia', diz o SENHOR, 'em que Jerusalém será reconstruída para mim [...] nunca mais será conquistada nem destruída'" (Jr 31.38,40). É óbvio que isso nunca aconteceu, pois no ano 70 d.C. o segundo templo foi destruído e a cidade, mais uma vez arrasada.

Nesse sentido, o Antigo Testamento é como a célebre "sinfonia inacabada" de Franz Schubert, em que a música soa esplendorosa e cativante, mas termina de forma abrupta e inconclusiva. Algo está faltando, e esse algo é a sinfonia sublime e completa do Novo Testamento.

Assim, é possível dizer que o desenvolvimento do tema "cidade" no Antigo Testamento é trabalhado a partir de dois polos: 1) a completa falência do sistema humano sem Deus, que somente acentua nossa desgraça, sendo a Babilônia o símbolo máximo disso; 2) os sinais de redenção que aparecem aqui e ali, quando Deus propõe a renovação daquilo que é essencialmente humano e perdido (Jerusalém, a cidade dos jebuseus) e o transforma em "cidade santa", separada para seus propósitos mais sublimes na história da salvação.

O fim definitivo do exílio: a Nova Jerusalém

No Novo Testamento, Jerusalém conserva a ambiguidade que já verificamos no Antigo. Embora fosse, desde os reinados de Davi e Salomão, o lugar que manifestava a presença de Deus de modo mais concreto no meio do povo da aliança, Jerusalém ainda mantém os traços característicos de um projeto humano falido. A interação de Jesus com a cidade na semana de sua Paixão expõe claramente tal ambiguidade. No Evangelho de Lucas, Jesus se aproxima da cidade lamentando: "Como eu gostaria que hoje você compreendesse o caminho para a paz! [...] Esmagarão você e seus filhos e não deixarão pedra sobre pedra, pois você não reconheceu que Deus a visitou" (Lc 19.42,44). O próprio (segundo) templo, cuja edificação original era tida pelo povo como um "amuleto" contra a ameaça babilônica (Jr 7.4), será arrasado para nunca mais ser reconstruído: "Virá o dia em que estas coisas serão completamente demolidas. Não restará pedra sobre pedra!" (Lc 21.6). Em outras palavras, Jerusalém também se tornou "Babilônia"! Essa identificação se mostra com nitidez quando Jerusalém é associada ao projeto diabólico que é desmascarado em Apocalipse 11.8, com a menção das "duas testemunhas" de Cristo sofrendo o mesmo fim que ele sofreu na "grande cidade, chamada figuradamente 'Sodoma' e 'Egito', onde seu Senhor foi crucificado".

Dessa forma, o fim definitivo do exílio, não só para Israel, mas também para toda a humanidade desobediente, tem como prelúdio a obliteração até mesmo do projeto humano de cidade que evidenciava a presença de Deus no mundo.

Para os discípulos, o anúncio do fim de Jerusalém — destruída pelos romanos em 70 d.C. — equivale ao anúncio do "fim do mundo". Jesus, porém, acrescenta: "Não deixem que ninguém os engane [...]. Sim, é necessário que essas coisas aconteçam primeiro, mas ainda não será o fim" (Lc 21.8,9).

O problema é que Jerusalém também se tornou parte do projeto humano de fazer com que Deus sirva aos nossos interesses e conveniências, ainda que a linguagem e o cerimonial religiosos sejam copiosamente empregados a fim de mascarar isso.

Ao longo de todo o Novo Testamento, o cristianismo avança sob a perspectiva da interinidade daquilo que parece ser permanente neste mundo, inclusive a cidade e a pátria. Assim, embora a primeira comunidade de discípulos se inicie em Jerusalém e se espalhe por todo o mundo urbano ao redor do Mediterrâneo (Antioquia, Éfeso, Filipos, Corinto etc.), a igreja vive na tensão permanente entre a cidade humana e a cidade divina.

Em sua carta à igreja em Filipos, o apóstolo Paulo diz que sua "cidadania", juntamente com a de seus leitores, está vinculada a valores permanentes e inabaláveis, no "céu" (Fp 3.20). Os filipenses entenderam muito bem o que Paulo queria dizer, pois eles mesmos eram "colônia" de Roma, com direitos e deveres de cidadãos romanos, apesar dos muitos quilômetros de distância.

O autor de Hebreus oferece outra ilustração da perspectiva de interinidade da cidade. Os heróis da fé "buscavam uma pátria superior, um lar celestial. Por isso, Deus não se envergonha de ser chamado o Deus deles, pois lhes preparou uma cidade" (Hb 11.16). E, em Hebreus 13.12-14, os leitores são exortados a se identificarem com a afronta de Jesus quando este sofreu "fora das portas da cidade", pois eles, e nós também, "não temos neste mundo uma cidade permanente". A razão disso é que "toda a criação será abalada e removida, de modo que permaneçam apenas as coisas inabaláveis" (Hb 12.27).

Assim, a metáfora frequente de "peregrinos" e "residentes na terra" (1Pe 1.17; 2.11) para os cristãos não é mera retórica espiritual, mas sim a expressão mais adequada de sua condição antes da restauração de todas as coisas quando Cristo voltar (At 3.19-21).

O ato final do drama da redenção no Novo Testamento envolve o desaparecimento de uma cidade e o estabelecimento de outra. Na linguagem tornada célebre por Agostinho, a "cidade dos homens" dá lugar à "cidade de Deus" — isto é, sai a Babilônia e entra a Nova Jerusalém. O sistema (religioso, político e econômico) da Babilônia é descrito sobretudo em Apocalipse 13, enquanto os capítulos finais do livro, em contrapartida, narram a mudança definitiva desse sistema.

Em Apocalipse, portanto, a cidade é, em primeiro lugar, a metáfora apropriada para simbolizar um sistema organizado pelo ser humano a fim de ressaltar a falência de seu projeto sem Deus, ou com um simulacro da presença divina. Num segundo momento, então, a cidade traduz muito bem a restauração e, especialmente, a reorganização do projeto divino para o bem da humanidade resgatada em Cristo (o Cordeiro). Juntamente com "um novo céu e uma nova terra" (Ap 21.1), a Nova Jerusalém desce "da parte de Deus", e o próprio "Deus habitará com eles, e eles serão seu povo" (Ap 21.3). Assim, a Nova Jerusalém sinaliza o fim da necessidade de representações da presença divina ("Não vi templo algum na cidade", Ap 21.22), pois com o Cristo que retorna a presença de Deus junto à humanidade resgatada é uma realidade definitiva. O "exílio" acabou, a "árvore da vida" é "cura para as nações" (Ap 22.1-2), e a morte, o sofrimento, o mal e a maldição são para sempre removidos (Ap 21.4,27; 22.3).

Embora a cidade represente da forma mais nítida possível o pecado, a oposição a Deus e o fracasso do projeto humano, é exatamente o conceito da cidade perfeita, ideal, que se torna a síntese da redenção e do resgate da humanidade em Cristo. E essa é a imagem definitiva e permanente da redenção nas últimas páginas da Bíblia.

Enquanto isso não acontece, vivemos na "cidade dos homens" como cidadãos da Nova Jerusalém, experimentando pela fé a "santa ambiguidade" de testemunhar a boa notícia de que em Cristo a vida, o mundo e a própria cidade fazem sentido.

3

A sinagoga, a praça e a academia: O evangelho em diálogo com o religioso, o profano e o erudito[I]

Nos dias de hoje, ainda nas primeiras décadas do século 21, nota-se um declínio de influência do cristianismo nos debates públicos na sociedade ocidental. Algumas razões para esse declínio poderiam ser:

- a privatização da fé, a partir de um individualismo exacerbado do ser humano moderno, e que se estende intensamente na assim chamada era pós-moderna;
- o pluralismo religioso, com uma grande ênfase no sincretismo religioso e no retorno (romântico) a religiões mais primitivas (paganismo);
- o acanhamento e, muitas vezes, o acovardamento do cristianismo diante de diversos desafios candentes do mundo pós-moderno. Como exemplo, basta mencionar a questão

ambiental e o "silêncio quase ensurdecedor" sobre o assunto, da parte da igreja e da teologia;
- o ostracismo (reclusão) no "gueto" evangélico, com forte tendência para a alienação em relação ao mundo ("Lugar de crente é ... na Igreja [?]")

Em especial, o protestantismo brasileiro atual deixou de lado uma importante percepção que marcou fortemente a Reforma Protestante do século 16, que via o evangelho, e a Palavra de Deus no seu todo, como juiz da sociedade e do mundo (além, é claro, da própria Igreja). Mais do que trazer a mensagem de salvação ao mundo, a Igreja, munida do evangelho, também deveria assumir uma postura crítica em relação à sociedade. Para que isso acontecesse, seria necessário haver algum tipo de interação entre Igreja e sociedade. Isso está tornando-se cada vez mais difícil, dadas as razões alistadas acima.

Seria muito importante que a igreja protestante (evangélica) retornasse aos ideais da Reforma, como por exemplo ao princípio da *Sola Scriptura*, não só na teoria, mas principalmente na prática. A fim de ilustrar o que seria uma possível proposta bíblica de interação e diálogo entre o evangelho e o mundo que Deus deseja resgatar por meio do Filho, tomamos como modelo a atividade missionária de Paulo descrita em Atos 17.

Algumas observações básicas sobre Atos 17 serão importantes aqui, especialmente o perfil missionário de Paulo apresentado nesta passagem.

O apóstolo Paulo está em Atenas, centro da arte, da cultura, da filosofia e da religião do mundo greco-romano em meados do primeiro século a.C. O ponto de partida para a atuação de Paulo em Atenas (da sua atividade descrita na sinagoga, na praça e no Areópago) é uma profunda indignação contra a idolatria reinante na cidade (At 17.16). O primeiro aspecto a destacar é o contato de Paulo com o ambiente religioso, a sinagoga.

1. O evangelho em diálogo com o sagrado (o religioso) — Atos 17.16s

A estratégia missionária de Paulo foi sempre a de visitar primeiramente a sinagoga judaica por onde quer que ele passasse, a partir do princípio da prioridade do judeu quanto ao evangelho, normatizado pelo apóstolo em Romanos 1.16s. Atos 17.2 exemplifica o costume paulino. Certamente o apóstolo Paulo sentia-se à vontade na sinagoga, o ambiente religioso judaico, onde encontrava judeus, prosélitos e simpatizantes do judaísmo, e a prática litúrgica e piedosa da oração, da leitura e da interpretação da Bíblia hebraica (o Antigo Testamento). No livro de Atos encontramos um exemplo mais detalhado, e provavelmente representativo, da pregação de Paulo numa sinagoga no capítulo 13.14-41. Nessa passagem, Paulo faz uma retrospectiva dos pontos principais da história de Israel, concluindo com o lugar central da morte e da ressurreição do Messias Jesus nessa "história da salvação" proposta por Deus.

Em Atos 17.17, Lucas nos diz que Paulo "debatia" com os judeus na sinagoga. Seu estilo evangelístico não era o monólogo, mas o diálogo, não era a imposição (unilateral) de ideias (e que ideias!), mas a interação, envolvendo um intenso debate com seus ouvintes e interlocutores. Isso é característico de Paulo em Atos, como Lucas apresenta no contexto imediato à passagem sobre Paulo em Atenas, Atos 17.2s.

Quando observamos o treinamento e a formação de pastores nos seminários e faculdades teológicas, notamos que nem sempre se privilegia esse estilo "dialético" de evangelização. Pior ainda, na maioria das vezes, o futuro pastor-teólogo é preparado unicamente para atuar na esfera do "sagrado", do religioso. O teólogo americano Walter Wink fala da preparação teológica recebida nos seminários evangélicos (americanos, mas seria diferente no Brasil?) na década de 1980 como uma "incapacidade treinada para lidar com os problemas de pessoas reais em suas vidas diárias".[2]

O problema é que, muitas vezes, pastores e teólogos cumprem mal a sua responsabilidade no âmbito religioso e, além disso, não têm qualquer abertura para os horizontes do lado de fora da "sinagoga". Paulo logo sai da sinagoga e chega à praça principal de Atenas (At 17.17). Sua interação, apesar da familiaridade com o ambiente da sinagoga, se estende com uma naturalidade intrigante para o ambiente do não sagrado, a praça.

2. O evangelho em diálogo com o profano (o mundano) — Atos 17.17s

Paulo, agora, vai para a *ágora*, a praça principal da cidade. A praça é um lugar movimentado e palco de manifestações, das mais diversas, tanto de caráter religioso pagão como filosófico e cultural. Na praça, Paulo encontra todo tipo de pessoa, trabalhadores e desocupados, marginais e imorais, eruditos e ignorantes — algo bem diferente do ambiente religioso e solene da sinagoga.

O "debater" do início do versículo 17 (na sinagoga) continua regendo a atuação paulina na praça pública. É interessante notar que Paulo não escolhe interlocutor. Não precisa fazer primeiro um "curso" ou um seminário, para depois responder às indagações de quem quer que seja; ele simplesmente debatia com "todos que ali estavam".

O assunto não poderia ser mais bombástico: a crítica ao paganismo na cidade de Atenas, incluindo, como é possível imaginar, uma refutação contundente da idolatria, que tanto irritara o apóstolo. Em outra parte do livro, Lucas fornece também uma ilustração da pregação do apóstolo num ambiente predominantemente pagão e idólatra. Em Atos 14.14-18 encontramos um resumo da abordagem paulina em relação aos pagãos, na qual ele parte da revelação de Deus na natureza criada para argumentar sobre a necessidade de se atentar para o agir de Deus em Jesus Cristo, as "boas-novas", o evangelho (At 14.15).

A exposição pública do evangelho num ambiente profano (comum) requer a coragem de assumir riscos bastante reais: em primeiro lugar, o risco da rejeição. Paulo é chamado de "tagarela" (grego: *spermologos*; cf. 17.18c), uma alcunha ofensiva; em segundo lugar, o risco de confusão com ideias alheias ao evangelho de Cristo. Alguns ouvintes na praça pensavam que Paulo pregava dois deuses estrangeiros, um tal de Jesus e uma certa *Anastasis* (cf. 18b). *Anastasis* é o substantivo feminino grego para "ressurreição". Como não criam na ressurreição dos mortos, a tendência natural era tomar a palavra como nome próprio que designaria uma divindade feminina. Assim, para a mente confusa de alguns pagãos atenienses, Paulo falava de um estranho casal de divindades, "Jesus e Anastasis".

Os protestantes e evangélicos, porém, têm problemas sérios aqui: primeiramente, há uma nítida falta de atenção ao que acontece no mundo e, até mesmo, ao contexto mais próximo da igreja (monasticismo evangélico?). No século 16, os adeptos da reforma de Lutero na Alemanha "protestaram" (palavra de tonalidade claramente política) diante das autoridades imperiais, demandando o direito de exercitarem a fé cristã a partir dos ensinos de Lutero. Daí vem o nome "protestante", um nome que por si só (embora de conotação negativa) sugere uma forte interação com a sociedade, ainda que seja uma postura de não conformismo. Em segundo lugar, é perceptível uma incapacidade generalizada de articulação do evangelho num ambiente não religioso, a falta de comunicação apropriada. Até mesmo inventamos um novo dialeto: o "evangeliquês". Exigimos que as pessoas de fora aprendam esse dialeto para se relacionarem com Deus — na língua que, supostamente, somente Deus e os crentes entendem. Mas a encarnação do *logos* de Deus (Jo 1.14), bem como a prática missionária paulina, demonstra exatamente o oposto disso: Deus vem ao encontro do ser humano, dentro das limitações da "carne", em seu próprio Filho que revela a Divindade com um rosto humano (Jo 1.18).

Na *ágora* de Atenas, Paulo se torna um incentivo para que nos esforcemos na promoção e na comunicação do evangelho por todos os meios possíveis, inclusive a mídia, sem comprometer, é claro, a integridade da mensagem em troca de comunicação eficaz.

A passagem de Paulo por Atenas ainda reserva um terceiro momento, que sintetizamos a seguir.

3. O evangelho em diálogo com o erudito (a academia) — Atos 17.19-31

O Areópago (At 17.19), o monte (ou colina) de

Marte (Ares), era a sede da academia e do conselho máximo da cidade de Atenas. Ali seus líderes — as autoridades intelectuais, os educadores e os filósofos de Atenas — se reuniam para deliberar sobre diversas questões civis, filosóficas e religiosas.

Havia dois grupos principais de filósofos em Atenas, com os quais Paulo discute no Areópago (cf. 17.18): a) os epicureus, discípulos de Epicuro, que se notabilizaram por promover uma justificativa filosófica para o hedonismo, isto é, a busca pelo prazer como a única razão que dá sentido à existência humana no mundo; e b) os estoicos, discípulos de Zenão que se reuniam, originalmente, na porta (*stoa*) da cidade. Promoviam a vida de conformidade com a natureza, defendendo um tipo específico de panteísmo (como a alma está no corpo, assim "deus" está na natureza).

O conteúdo do sermão de Paulo no Areópago, resumido por Lucas em Atos 17.22-31, tem alguns pontos salientes dignos de nota no que diz respeito à interação do evangelho com a academia:

- Paulo parte de um ponto de contato, o altar "ao deus desconhecido" (grego, *agnôstô[i] theô[i]*; cf. 17.23), que a própria idolatria propiciava. Paulo aproveita a curiosidade, tão característica dos atenienses (17.19-21), para levar o diálogo adiante. Ele não recorre a alguma forma de defensivismo obscurantista diante dos desafios da idolatria; o apóstolo vai do abstrato e impessoal ("aquilo que vocês adoram", 17.23b) para o concreto e pessoal, "o Deus que fez o mundo" (17.24a).

- Ele explica que Deus, ao contrário de ser uma abstração, distante e desengajada do mundo, é o Criador e o Sustentador de toda a Criação (17.24); Deus está envolvido com o mundo. Além disso, podemos facilmente imaginar Paulo apontando para os grandes templos na Acrópole, visíveis do Areópago, e dizer que Deus "não habita em templos feitos por homens" (17.24b). Ou seja, não é possível "domesticar" o Deus verdadeiro. Ao relatar o que Paulo disse, Lucas nos oferece um ótimo exemplo de desmonte e desconstrução das filosofias pagãs gregas, quando confrontadas com a mensagem do evangelho.
- Paulo, ainda, destaca a origem comum da humanidade em Deus (17.26). Os atenienses criam ser uma "raça" superior até mesmo

aos demais habitantes da Grécia. Os estrangeiros eram meramente os *barbaroi*, os incultos que falavam numa língua incompreensível (daí o "bar-bar", de *barbaros*).

- O apóstolo esclarece que a revelação geral, da qual acaba de tratar, ainda que importante não é suficiente para o conhecimento de Deus: "tateando, talvez viessem a encontrá-lo" (17.27).
- Ele cita, em 17.28, dois poetas gregos conhecidos, respectivamente, Epimênides ("nele vivemos, nos movemos...") e Arato ("somos descendência dele"), para deixar patente que vestígios da verdade de Deus podem ser encontrados tanto na natureza como no próprio ser humano, inclusive na sabedoria helênica.
- A desconstrução do paganismo continua em 17.29, destacando a total falência da idolatria e do panteísmo diante desse conhecimento básico de Deus — Deus não pode ser confundido com aquilo que ele mesmo criou.
- O juízo de Deus (17.30s) agora entra em cena: até o momento, a tolerância divina; mas o dia da prestação de contas está chegando. O Juiz, cuja qualificação especial e extraordinária é

a "ressurreição dentre os mortos" (prova do agir e da aprovação de Deus), está aí.

- Há um detalhe importantíssimo aqui: a ressurreição era rejeitada como absoluta impossibilidade pelos gregos; tida como algo absurdo pelos filósofos, os quais sempre tendiam para a ideia clássica da imortalidade da alma (Pitágoras, Sócrates e Platão).

O diálogo com a erudição/academia (filosofia) é difícil, pois será sempre um "diálogo crítico" do evangelho em relação ao pensamento meramente humano. Por essa razão, não é de admirar que a reação dos filósofos à mensagem paulina fosse a rejeição (17.32s). Ainda assim, convém observar que a pregação de Paulo não foi infrutífera (17.34), pois alguns poucos creram (Dionísio, membro do conselho da cidade, e Dâmaris).

Contudo, é muito importante ressaltar que Paulo foi alguém especialmente moldado por Deus para esse tipo de diálogo "multidisciplinar", pois ele mesmo era cidadão de três mundos: nasceu em Tarso, cidade helenista; foi criado no judaísmo e estudou em Jerusalém; e era cidadão romano.

Ao final dessas reflexões em torno da atividade

missionária de Paulo em Atos 17, é possível formular o esboço de uma tese fundamental no que diz respeito às possibilidades de interação e diálogo do evangelho (cristianismo) com o mundo (sociedade) hoje:

> **Não é só necessário e possível, como também desejável, que haja um diálogo crítico entre o evangelho de Jesus Cristo e a sociedade, em todos os níveis.** Esse diálogo crítico de modo algum invalida, compromete ou diminui a piedade cristã que a Palavra de Deus exprime e requer dos cristãos. Pelo contrário, é até incentivador e motivador da devoção cristã, como se vê na experiência do apóstolo Paulo no livro de Atos. Mas é piedade qualificada como engajada e relevante no mundo.

Conclusões

À luz dessas observações em Atos 17.16-34, é preciso destacar algumas coisas que devemos desenvolver, a fim de promover o evangelho de maneira mais relevante no contexto multidisciplinar (sinagoga, praça e academia) em que vivemos hoje. Cito apenas algumas preocupações mais recentes. Precisamos, urgentemente:

1) *Recuperar a capacidade (cristã) de indignação.* Paulo reage contra a idolatria crassa de Atenas. Às vezes, parece que estamos anestesiados diante do mundo e do seu panteão. É claro que devemos aprender com Paulo que a nossa reação diante da idolatria não deve ser a de "chutar a santa", ou algo parecido. Embora muito indignado com a idolatria reinante, o apóstolo usa essa constatação como ponto de contato com os eruditos atenienses e como ponto de partida para sua apresentação do evangelho (cf. 17.22-23).

2) *Desenvolver a capacidade de entendimento crítico do mundo.* Precisamos sair do nosso "gueto" e saber o que e como o mundo pensa. Um modo de avaliar até que ponto fazemos isso é perguntar se temos (principalmente nós, os teólogos e líderes) amizades e interações significativas fora do contexto eclesiástico.

3) *Implementar oportunidades de interagir criticamente, a partir do evangelho, com setores da sociedade.* É necessária a coragem de enfrentar os desafios que o mundo (urbano) moderno e pós-moderno oferece ao cristianismo. Será que o cristianismo não tem algo a dizer (e a fazer) sobre o problema do aquecimento global e das mudanças climáticas?

E as artes? Cremos, de fato, que Deus é o Criador daquilo que é belo? Então por que encontramos tão poucos artistas cristãos? Além do estético, também existem numerosos desafios éticos na atualidade brasileira. Raramente, por exemplo, se ouve algum teólogo protestante falando com propriedade sobre a questão do aborto ou da sexualidade, excetuando aqueles que se manifestam com uma estridência combativa que mais afasta do que convida para ouvir uma outra proposta.

O evangelho de Jesus Cristo abre possibilidades variadas de diálogo e interação para o cristianismo com o mundo no qual vivemos. O apóstolo Paulo é um excelente modelo para nós hoje. Ele demonstra essas possibilidades tanto no campo religioso como no profano e no erudito. Num mundo carente de ideias e ideais, eis a nossa oportunidade de apresentar o cristianismo como algo relevante, que responde às questões mais importantes que preocupam as pessoas no mundo. Tudo isso vem envolvido numa mensagem revolucionária e resgatadora, o evangelho de Jesus Cristo. Estamos dispostos e prontos para assumir essa tarefa?

Sobre o autor

Estevan F. Kirschner é mestre em Interpretação Bíblica e PhD em Novo Testamento pela London School of Theology, na Inglaterra. É professor de Bíblia, línguas originais e exegese no Servo de Cristo. É um dos tradutores das Bíblias NVI e Almeida Século 21, e coordenador da Comissão de Tradução da NVT. Pela Mundo Cristão, organizou, junto com Bernardo Cho, a obra *Missão urbana*. Casado com Rachael, tem três filhos e três netos.

Notas

Capítulo 1

[1] Adaptado de artigo publicado originalmente na *Vox Scripturae* vol. II, nº 1 (1992).

[2] Martinho Lutero, "Pelo evangelho eterno", in *Obras selecionadas de momentos decisivos da Reforma* (Porto Alegre/ São Leopoldo: Concórdia/Sinodal, 1984), p. 148-149.

[3] Novo Dicionário Aurélio, Aurélio Buarque de Holanda Ferreira (Rio de Janeiro: Nova Fronteira, 1ª edição, 11ª impressão, 1975).

[4] O processo de registro da Palavra não é descrito por Paulo. Veja 2Pedro 1.20s.

[5] P. ex., no cumprimento de profecias do AT no NT, especialmente as profecias sobre o Messias e sua vinda.

[6] Citado por A. N. S. Lane, *The Lion Concise Book of Christian Thought* (Tring: Lion, 1984), p. 175.

[7] Veja, p. ex., J. L. Segundo, *Libertação da teologia* (São Paulo: Loyola, 1978), principalmente os capítulos 1 e 4; L. Boff, *Jesus Cristo libertador* (Petrópolis: Vozes, 1972, 12ª ed.), p. 222-234, com ênfase na Cristologia da Teologia da Libertação.

[8] G. Gutiérrez, *Teologia da libertação* (Petrópolis: Vozes, 1986, 6ª ed.), p. 18.

[9] R. Cavalcanti, *Igreja: Comunidade da liberdade* (Niterói/São Paulo: VINDE/SEPAL, 1989), p. 22.
[10] Idem, p. 40.
[11] Novo Dicionário Aurélio (Rio de Janeiro: Nova Fronteira, 1975, 1ª ed., 11ª impr.).

Capítulo 2

[1] Artigo publicado originalmente em Estevan Kirschner e Bernardo Cho (orgs.), *Missão urbana: Servindo a Cristo na cidade* (São Paulo: Mundo Cristão, 2020), p. 17-27.
[2] Carlos Osvaldo C. Pinto, *Foco e desenvolvimento no Antigo Testamento* (São Paulo: Hagnos, 2006), p. 35.
[3] Ver John H. Walton, *The Lost World of Adam and Eve: Genesis 2—3 and the Human Origins Debate* (Downers Grove, IL: IVP Academic, 2015), p. 163-164.

Capítulo 3

[1] Adaptado de artigo publicado originalmente pela *Vox Scripturae* vol. VXIII, nº 1 (2010).
[2] W. Wink, *The Bible in Human Transformation* (Filadélfia: Fortress Press, 1983), p. 6.

Compartilhe suas impressões de leitura,
mencionando o título da obra, pelo e-mail
opiniao-do-leitor@mundocristao.com.br
ou por nossas redes sociais

Esta obra foi composta com tipografia Calluna
e impressa em papel Pólen Soft 80 g/m^2 na gráfica Eskenazi